Ouille, quelle citrouille!

Laura Geringer

Illustrations de Holly Berry

Texte français de France Gladu

Je peux lire! – Niveau 3

Les éditions Scholastic

Voici l'histoire d'une citrouille.

Elle est grosse. Elle est même très grosse.

Le fermier est fier

de cette très grosse citrouille.

Il est si fier de cette citrouille,

que parfois, il lui parle.

— Pousse, citrouille, dit-il.

Pousse, pousse, pousse!

Et voilà justement ce que fait la citrouille.

Elle pousse.

Elle pousse, pousse et pousse encore.

Puis vient le moment
de cueillir la citrouille.
Mais le fermier n'arrive pas
à la détacher de sa tige.
Il tire et tire encore.
Il n'arrive toujours pas à la détacher
de sa tige.

Or, le fermier a une femme qui s'appelle
Antoinette.

— Antoinette! appelle-t-il.

Viens m'aider à cueillir cette citrouille!

Alors Antoinette accourt.

Antoinette est grande et forte.

Mais elle n'arrive pas à détacher
cette citrouille entêtée de sa tige.

Alors le fermier tire sur la citrouille.

Et la femme du fermier tire sur le fermier.

Ensemble, ils tirent et tirent encore.

Mais ils n'arrivent pas à détacher

cette citrouille entêtée de sa tige.

Or, le fermier et sa femme Antoinette

ont une fille qui s'appelle Marinette.

Marinette est grande et forte.

— Marinette! appelle Antoinette.

Sois une bonne fille et viens m'aider

à cueillir cette citrouille.

Alors Marinette accourt.

Marinette tire et tire encore.

Mais elle n'arrive pas à détacher
cette citrouille entêtée de sa tige.

Alors son père tire sur la citrouille.

Et sa mère tire sur son père.

Et Marinette tire sur sa mère.

Ensemble, ils tirent et tirent encore.

Mais ils n'arrivent pas à détacher
cette citrouille entêtée de sa tige.

Or, le fermier et sa femme Antoinette

ainsi que leur fille Marinette

ont une vache qui s'appelle Clochette.

Clochette est grosse et forte.

— Clochette! appelle Marinette.

Sois une bonne vache et viens m'aider

à cueillir cette citrouille.

Alors Clochette accourt.

Clochette tire et tire encore.

Mais elle n'arrive pas à détacher
cette citrouille entêtée de sa tige.

Alors le fermier tire sur la citrouille.

Et la femme du fermier tire sur le fermier.

Et leur fille tire sur sa mère.

Et la vache tire sur la fille.

Ensemble, ils tirent et tirent encore.

Mais ils n'arrivent pas à détacher

cette citrouille entêtée de sa tige.

Or, le fermier et sa femme Antoinette

ainsi que leur fille Marinette

et leur vache Clochette

ont un chien qui s'appelle Pompon.

Pompon est gros et fort.

— Pompon! appelle Clochette.

Sois un bon chien et viens m'aider

à cueillir cette citrouille.

Alors Pompon accourt.

Pompon tire et tire encore.

Mais il n'arrive pas à détacher

cette citrouille entêtée de sa tige.

Alors le fermier tire sur la citrouille.

Et la femme du fermier tire sur le fermier.

Et leur fille tire sur sa mère.

Et la vache tire sur la fille.

Et le chien tire sur la vache.

Ensemble, ils tirent et tirent encore.

Mais ils n'arrivent pas à détacher

cette citrouille entêtée de sa tige.

Or, le fermier et sa femme Antoinette

ainsi que leur fille Marinette

et leur vache Clochette

et leur chien Pompon

ont un chat qui s'appelle Ronron.

Ronron est gros et fort.

— Ronron! appelle Pompon.

Sois un bon chat et viens m'aider

à cueillir cette citrouille.

Alors Ronron accourt.

Ronron tire et tire encore.

Mais il n'arrive pas à détacher

cette citrouille entêtée de sa tige.

Alors le fermier tire sur la citrouille.

Et la femme du fermier tire sur le fermier.

Et leur fille tire sur sa mère.

Et la vache tire sur la fille.

Et le chien tire sur la vache.

Et le chat tire sur le chien.

Ensemble, ils tirent et tirent encore.

Mais ils n'arrivent pas à détacher

cette citrouille entêtée de sa tige.

Or, le fermier et sa femme Antoinette

ainsi que leur fille Marinette

et leur vache Clochette

et leur chien Pompon

et leur chat Ronron

ont une souris.

Cette souris s'appelle Henriette.

Henriette n'est pas grosse.

Et elle n'est pas forte.

— Henriette! appelle Ronron.

Sois une bonne souris

et viens m'aider

à cueillir cette citrouille.

Alors Henriette accourt.

Henriette sait bien qu'elle

ne peut pas détacher

cette citrouille entêtée de sa tige.

Mais elle tire et tire quand même.

Puis elle tire et tire encore.

Et elle tombe à la renverse,
complètement à bout de souffle.

Alors le fermier tire sur la citrouille.

Et la femme du fermier tire sur le fermier.

Et leur fille tire sur sa mère.

Et la vache tire sur la fille.

Et le chien tire sur la vache.

Et le chat tire sur le chien.

Et la souris tire sur le chat.

Tous ensemble, ils tirent, tirent et tirent.

Puis ils tirent et tirent encore.

Et ils tiennent bon jusqu'à ce que…

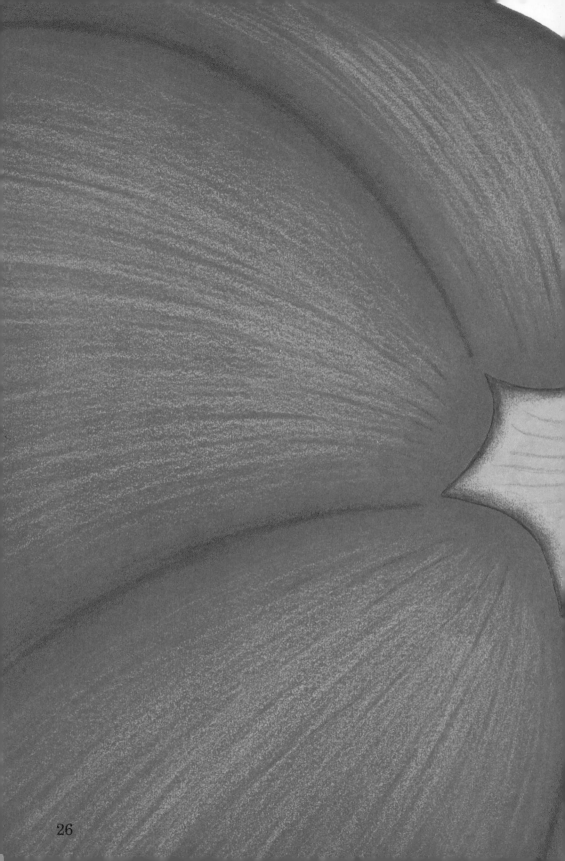

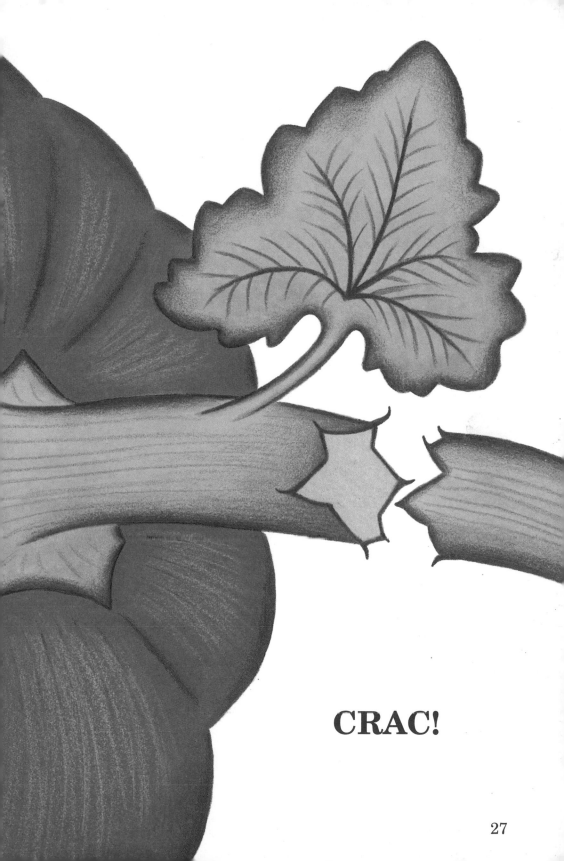

CRAC!

Cette citrouille entêtée
se détache de sa tige!

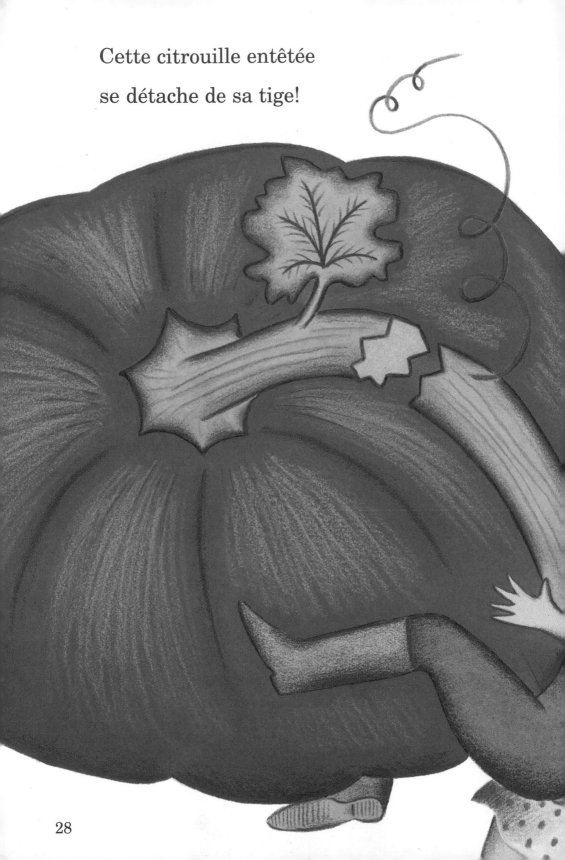

Le fermier tombe à la renverse,

complètement à bout de souffle,

la citrouille dans les bras.

Et sa femme tombe à la renverse,

le fermier dans les bras.

Et leur fille tombe à la renverse,

sa mère dans les bras.

Et la vache tombe à la renverse.

Et le chien tombe à la renverse.

Et le chat tombe à la renverse.

Et la souris tombe à la renverse,
encore une fois.

Alors tous se relèvent.

— Hourra! crient-ils en chœur.

Et ensemble, ils transportent

cette citrouille entêtée jusqu'à la maison.

À tous les membres de la famille

L'apprentissage de la lecture est l'une des réalisations les plus importantes de la petite enfance. La collection *Je peux lire!* est conçue pour aider les enfants à devenir des lecteurs experts qui aiment lire. Les jeunes lecteurs apprennent à lire en se souvenant de mots utilisés fréquemment comme « le », « est » et « et », en utilisant les techniques phoniques pour décoder de nouveaux mots et en interprétant les indices des illustrations et du texte. Ces livres offrent des histoires que les enfants aiment et la structure dont ils ont besoin pour lire couramment et sans aide. Voici des suggestions pour aider votre enfant avant, pendant et après la lecture.

Avant

Examinez la couverture et les illustrations, et demandez à votre enfant de prédire de quoi on parle dans le livre.

Lisez l'histoire à votre enfant.

Encouragez votre enfant à dire avec vous les formulations et les mots qui lui sont familiers.

Lisez une ligne et demandez à votre enfant de la relire après vous.

Pendant

Demandez à votre enfant de penser à un mot qu'il ne reconnaît pas tout de suite. Donnez-lui des indices comme : « On va voir si on connaît les sons » et « Est-ce qu'on a déjà lu un mot comme celui-là? ».

Encouragez l'enfant à utiliser ses compétences phoniques pour prononcer d'autres mots.

Lorsque l'enfant a besoin d'aide, lisez-lui le mot qui pose un problème, pour qu'il n'ait pas trop de mal à lire et que l'expérience de la lecture avec les parents soit positive.

Encouragez votre enfant à lire avec expression... comme un comédien!

Après

Proposez à votre enfant de dresser une liste de mots qu'il préfère.

Encouragez votre enfant à relire ses livres. Il peut les lire à ses frères et sœurs, à ses grands-parents et même à ses toutous. Les lectures répétées donnent confiance au jeune lecteur.

Parlez des histoires que vous avez lues. Posez des questions et répondez à celles de votre enfant. Partagez vos idées au sujet des personnages et des événements les plus amusants et les plus intéressants.

J'espère que vous et votre enfant allez aimer ce livre.

Francie Alexander,
spécialiste en lecture
Groupe des publications
éducatives de Scholastic

À Adam, qui n'abandonne jamais
— L.G.
À mes grands-parents, Frank et Marion
— H.B.

Catalogage avant publication de la
Bibliothèque nationale du Canada

Geringer, Laura

Ouille, quelle citrouille! / Laura Geringer ; illustrations de
Holly Berry ; texte français de France Gladu.

(Je peux lire!. Niveau 3)
Translation of: The stubborn pumpkin.
ISBN 0-7791-1598-8

I. Berry, Holly II. Gladu, France, 1957- III. Titre. IV. Collection.

PZ23.G468Ou 2002   j813'.54   C2002-900980-4

Édition publiée par Les éditions Scholastic, 175 Hillmount Road,
Markham (Ontario) L6C 1Z7.

5 4 3 2 1   Imprimé au Canada   02 03 04 05